非常重要。所以,在这套书里,我们使用准确的数学词汇和巧妙的方法技巧,配以活泼流畅的语言,为的是让孩子们能感受到阅读的乐趣,并为学好小学数学奠定坚实的基础。

还要提醒家长和教师们注意的是，这也是一套好的故事读本,每个故事都蕴含着一定的道理,阅读时要注意引导孩子对内涵的理解。在每本书的最后，我们精心设计了针对阅读理解和数学知识的讨论话题，并且给出了一些将数学知识应用于现实生活的建议，家长和教师应教给孩子在日常生活中发现数学知识,应用数学方法,体会数学渗透在我们生活的方方面面,它与我们的生活息息相关。

希望这套书的出版,能让孩子们爱上数学,把对数学的浓厚兴趣融入生活当中,更希望孩子们领会到严谨、辩证、多角度的数学思维能使生活变得更加精彩。

最后,感谢各位的支持,祝你们拥有一段愉快的阅读时光!

琼安·克恩

美国资深儿童教育专家、"数学帮帮忙·互动版"原出版人

在阅读中感悟

新蕾出版社引进的“数学帮帮忙·互动版”是一套优秀的数学教育故事读本，曾荣获美国《学习杂志》教师选择推荐大奖。这个奖项是由美国各地教师评委评选出来的，获奖的都是经过中小学教师在实践中证明最好的书籍、教具和教学软件。此外，“数学帮帮忙·互动版”还屡次荣获美国童书委员会和美国社会科学研究会联合评选的全美杰出社科类童书奖。作为这套书的译者，我也深感它的独特之处。在阅读故事的过程中，孩子不仅会被有趣的故事所吸引，还会学到一些数学概念。同时，他更会与故事中同龄主人公所遇到的问题以及解决的方式产生共鸣，进而真正地领悟到生活中一些待人接物的道理。所以，我把我的这些感悟汇集成一篇篇小文，愿与家长朋友分享，希望能帮助您，启发您去引导孩子，让他不只是读了一个个精彩的故事，不只是学到一个个数学知识，还能借此得到性格品德方面的营养，滋润心性，成为一个独立的、懂生活的、有责任心的、会关爱他人的人。我衷心地这样希望着。

1.《小凯特的大收藏》

老师要同学们带各自的收藏品去分享，眼看着大家带到学校的收藏五花八门，数量越来越多，小凯特却不知道怎样做才能与众不同。可是，她并没有气馁，而是乐观积极，开动脑筋，转换思考问题的角度，拿出了自己包罗万象的各种收藏品，获得了老师和同学的赞扬。乐观积极是一个人的优秀品质，敢于面对挑战的人也往往颇具智慧。

2.《熄灯时间到！》

故事里的小主人公好不容易可以破例晚睡，她憋足了劲要做全世界最后一个睡觉的人，偏偏对面楼里有一盏彻夜长明的灯，真气人！等她早上问过之后才恍然大悟。原来，有时候我们看到的只是事情的表面，真相到底是什么，还需要我们去沟通、探究，眼见不一定为“实”！

3.《宇宙小子》

吉姆的梦想是收集 10000 张能量棒包装纸，赢得参加太空夏令营的机会。后来整个城市的人都来帮他收集包装纸。众人拾柴火焰高，吉姆真的来到了宇宙小子夏令营，还把得到的礼物分给所有帮助过他的人。懂得集合大家的力量去实现一个远大的目标是明智之举，因为任何个体的力量都是渺小的，而懂得感恩和回报更是一个人优秀品质的体现。

4.《我的小九九》

迈克是个最不喜欢做家务的小懒虫。妈妈不在家，他便抢先选择了洗碗这项美差。可没想到洗碗机给他将了一军，迈克只好把用过的碗碟先藏起来，结果脏盘子脏碗越堆越多，就像做乘法！通过这件事，迈克知道了做事情要脚踏实地，不能只打自己的“小算盘”，一味地偷懒找捷径反而会弄巧成拙。作为家庭中的一分子，每个人都要自觉地承担起自己的家庭义务。

5.《每人都有份！》

奥斯卡参加了一连串抽奖活动，他必须请其他孩子和他一起参加，才能凑到足够的钱买奖券。如果你和朋友一起参加类似的活动，你会怎么做?乐于分享的孩子肯定是最有人缘的。比奖品更重要的是友情，朋友间互助和分享能给人带来极大的快乐。

6.《来自夏令营的信》

夏令营里的八个小姑娘住在一间小木屋里,每天分组打扫卫生让她们大伤脑筋。尝试过不同的分组方式后，她们发现了自己最擅长的劳动项目。结果,打扫卫生的问题解决了,皆大欢喜。想一想,如果每个人都能有机会做自己喜欢的事情，那么肯定能发挥出自己的积极性和热情,从而轻松地把棘手的问题简单地解决掉。

7.《甜甜的糖果屋》

格蕾丝无论做什么都做得那么完美，麦琪和威廉却做什么都不成功！但麦琪和威廉不愿放弃,终于成功建造出了漂亮的糖果屋。这其中的道理就是做任何事都要有信心，不能轻易放弃。我们也不能简单照搬他人的成功经验,只有学会借鉴和变通,才能创造出属于自己的成就。

8.《漫长的等待》

在飞天大魔虫下面排队时，乔什让扎克占着位子，一会儿去算算队伍人数，一会儿去买瓶汽水，一会儿又去要个偶像签名，忙得不亦乐乎。可乔什没注意到，每次他插回队伍时，排在他们身后的那位叔叔都是一脸的不满。其实，让他人帮忙占位不要紧，关键是要征得人家的同意，还要顾虑到排在后面的人的感受，轻轻一句“对不起”或许就能消除他人的怒气。

9.《小帕帮大忙》

赶集的日子到了！小帕帮奶奶采摘并清点好要卖的蔬果后，就迫不及待地和奶奶一起去市场摆摊了。不过，小帕发现奶奶的蔬果摊生意冷清。他没有灰心，而是发挥自己的聪明才智，想到了用蔬果做莎莎酱吸引顾客的好办法，不仅在瞬间就把各种蔬果都卖光了，还让奶奶的蔬果摊成了集市上人气最旺的摊位。面对困难的考验，不慌不忙，开动脑筋，有时会收获意外的惊喜。

10.《哈利在哪里？》

曼迪和内特放学后的第一件事就是照顾小兔子哈利，但今天当他们准备好胡萝卜的时候，却发现哈利不见了。曼迪号召整栋楼的小伙伴们一起寻找哈利，他们坐着电梯上上下下，根据每一条细小的线索寻找哈利。小伙伴们齐心协力，用集体的智慧和坚持不懈的努力最终成功找到了哈利，团结果然力量大。

11.《最佳午餐竞选》

学校要进行一场最佳午餐竞选，票数最多的菜品将成为春季宴会的主菜。凯琳起初觉得这个点子很古怪，但当身边的同学都积极地为自己喜爱的菜品拉票时，她也坐不住了。其实，放下偏见，用开放积极的态度应对生活中的挑战，有时会带来超乎想象的快乐。

12.《欢乐的游乐园》

露比与朋友们终于如愿来到了雨林游乐园。她先是和两个好朋友组成了三人游乐组，虽然游乐项目好玩儿又刺激，但大多数项目都是双人座，三人中总有一个人要落单，这让露比心里很不舒服。于是，她积极吸纳越来越多的小伙伴加入小组。在选择游乐项目时，组员们无私友爱，充分考虑到他人，不让一个小伙伴落单，每个人都感受到了奉献的快乐和集体的温暖。

13.《小记分员亨利》

做任何事情，亨利都要和姐姐比较，他可不愿意姐姐得到的比他多。于是，他认真地记录下姐弟俩赖床的时间、吃点心时饼干的数量、邀请来的客人的数量等等。因为做比较，亨利受到了爸爸妈妈的批评，但是也渐渐意识到并不是所有事情都要和他人比较。做比较，说明孩子内心有竞争的意识，如果爸爸妈妈能够正确引导，那么这种意识还可以变成孩子进步的动力哟！

14.《寻狗总动员》

小狗西奥的丢失让本尼焦急万分。怎样才能找到西奥呢？本尼的妈妈做了一张寻狗启事，但本尼的好友乔丹想到了一个更好的方法，那就是让朋友们一起行动起来抄写寻狗启事，这样很快就有了上千张寻狗启事。在全镇孩子的帮助下，西奥终于平安地回到了本尼身边。在别人需要帮助时，主动施以援手，小小的善举也许并不起眼，但是积累起来就会收到意想不到的效果。

15.《100 磅的难题》

沃特遇到了一个难题：小船限重 100 磅，怎么能把自己、狗狗和钓鱼的用具运到一个小岛上去呢？这是一个流传很广的谜题，沃特不仅急中生智，用自己的智慧解决了困难，而且也告诉小读者，遇到棘手的事情不要着急，考虑周全定能收到令人满意的结果。

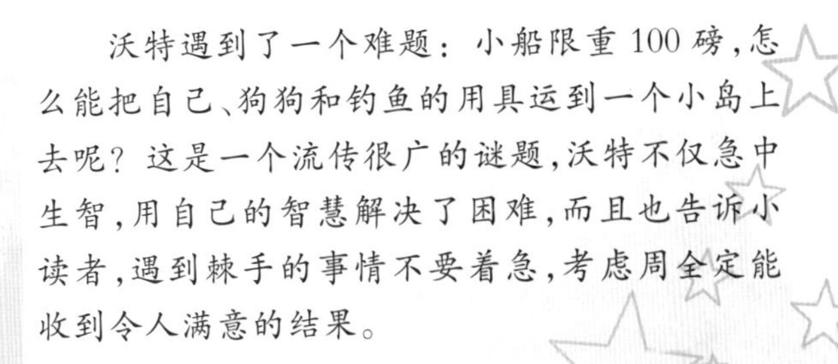

主题	序号	书名	数学概念
数字与运算	1	小凯特的大收藏	加法
	2	熄灯时间到!	减法
	3	宇宙小子	位值制计数法
	4	我的小九九	乘法
	5	每人都有份!	除法
	6	来自夏令营的信	分数
	7	甜甜的糖果屋	加减法
	8	漫长的等待	估算
	9	小帕帮大忙	数数
	10	哈利在哪里?	序数
	11	最佳午餐竞选	整数拆分
	12	欢乐的游乐园	奇数、偶数
	13	小记分员亨利	数的比较
	14	寻狗总动员	翻倍
量与计量	15	100磅的难题	重量
	16	游戏日	日期
	17	到点啦，麦克斯!	时间
	18	上车喽!	时刻表

主题	序号	书名	数学概念
量与计量	19	保持距离	距离
	20	小气的托德	钱币
	21	高个子缇娜	量的比较
	22	慢吞吞的泰迪	时间段
	23	大雪大雪快快下！	温度
图形与几何	24	猫咪城堡	立体图形
	25	宾果找骨头	方位
	26	小鸡搬家	周长
	27	摇滚数学日	平面图形
	28	山姆的脚印格子	面积
	29	外公的神秘藏宝	坐标图
探索规律	30	超级眼镜	数字规律
	31	晚霞项链	规律
统计与概率	32	外婆的纽扣宝盒	分类
	33	倒霉蛋布拉德	概率
	34	马可的零用钱	条形统计图
	35	恼人的水痘	数据图表
	36	我们的校报	象形统计图

16.《游戏日》

杰西卡和艾薇想找一天一起玩，可是她们不是这个有事，就是那个有事，虽然好事多磨但她们没有放弃，终于找到了合适的时间，实现了游戏日的约定。两个好朋友在不能履约的日子总能记得提前通知对方，再行约定，是非常好的行为习惯，因为信任和友谊就是从这样的一点一滴中建立起来的。

17.《到点啦，麦克斯！》

麦克斯的数字式手表不见了，不会看指针的他这下可遇到了大麻烦！很多孩子都像麦克斯这样先入为主，只知道如何看数字表上的时间，一见到带指针的表就傻眼了。家长朋友们遇到这种情况时，要像这个故事里的爸爸妈妈一样，将知识融入生活之中，用做游戏的方式帮助孩子克服困难。另一方面也要注意不要让孩子过度依赖那些高科技的电子产品，它们有时反而会给我们的生活带来很多不便哟！

18.《上车喽！》

看完奶奶、基特和杰伊的这次火车旅行，小朋友们是不是有点儿羡慕他们呢？在原本平淡的旅途中，三位主人公为我们展示了他们对时间的掌控和尊重，将有限时间内的效率发挥到极致。在生活中，合理安排时间能帮我们提高效率，带来更大的收益。这种行为是对别人负责也是对自己负责。所以我们要像故事里的主人公一样，学会统筹安排时间，这样就能最自由、最畅快地享受生活啦！

19.《保持距离》

珍妮因为新降生的小妹妹莎莉，不得不和妹妹露西合住一个房间。但是,露西让珍妮的生活变得乱七八糟,忍无可忍的珍妮决心要和露西保持距离！姐妹俩在争吵中,慢慢意识到姐妹情谊的可贵,也学会用包容的心态去理解对方,和睦相处。严以律己,宽以待人,是我们一生都要学习的处世之道。

20.《小气的托德》

托德是个小财迷,他每天最喜欢做的事就是存钱和数钱。托德的哥哥和他打赌,看他能不能在一天内花光 20 元，如果花不光不仅要把钱全额还给哥哥,还要再给哥哥 5 元。小气的托德为了打赢这个赌,想尽各种办法去花光 20 元。在这个过程中,托德渐渐意识到自己过去对金钱的执念是错的。对金钱过分的、贪婪的追求并不能带来幸福的生活,因为金钱不是万能的,除了它,人生还有更加可贵的东西。

21.《高个子缇娜》

新学期开始，缇娜的身体发生了一些变化——她长高了！但是长个儿的喜悦并没有维持多久，因为她发现自己不能再用喜欢的跳绳了，不能和好朋友站在一起拍集体照了，就连最擅长的运动项目都变得吃力了，缇娜苦恼极了！可是，到了运动日那天，一切都发生了转变，缇娜用身高优势帮助团队赢得了比赛。这之后，她发现原来高个子并不是那么糟糕！其实，我们都是独一无二的个体，也都有自己的优势和劣势，正确看待自己会为我们带来更多快乐！

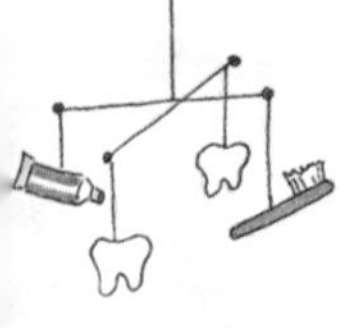

22.《慢吞吞的泰迪》

泰迪做什么事情都是最后一个，朋友们都管他叫“小蜗牛”。泰迪特别不喜欢这个绰号，他想通过跑步改变自己慢吞吞的毛病。为此，他为自己制定了严格的作息时间表，并且不折不扣地执行。努力必有回报。比赛日那天，泰迪变成了“小猎豹”，还获得了第一名！做时间的小主人，合理规划自己的时间，不仅不会让玩耍的时间变少，还可以有更多的时间让我们自由支配。

23.《大雪大雪快快下！》

整个冬天，天空都没有飘下一片雪花。不能去滑雪的杰米感到很失落，但是伊莱却不这么想，因为他正盼着新种的小草莓苗能快快长大。当大雪如约而至时，不仅小草莓苗得到了保护，而且杰米和伊莱一起去滑雪，别提多开心了！同样一件事情，在我们看来是好事，在别人看来可能就是坏事，不是因为事情本身发生了变化，而是因为我们身处的环境不一样。即使遇到了坏事，我们也不要慌张沮丧，开动脑筋，一定会找到解决问题的办法。

24.《猫咪城堡》

安娜家的猫咪新生了四只小猫，猫咪们闹翻了天。安娜想留下小猫，她要让爸爸妈妈知道，她能担负起照顾小猫的责任。于是，她根据每只猫咪的性格和喜好，为每只猫咪造了一座适合居住的猫咪城堡，成功说服了爸爸。小朋友们要记得，饲养宠物不是一件简单的事。作为宠物的小主人，一定要担负起照顾它们的责任。同时，在做事的时候也要根据具体情况具体分析，有的放矢才能事半功倍！

25.《宾果找骨头》

小狗宾果怕坏猫绿巨人抢走它的骨头，就每天都把骨头埋到院子里藏起来。吉尔却觉得猫根本不爱吃骨头。宾果是不是有点儿担心过头了？尽管大部分时候，经验都会帮我们忙，然而有时候经验也会蒙蔽我们。没有谁的经验是绝对正确的。

26.《小鸡搬家》

汤姆、安和戈登要为新出生的小鸡找到合适的家。鸡笼在挪来挪去中，形状也在变来变去。最终,他们成功给小鸡安置了新家。当我们以精益求精的态度对待一项任务，也定能找到十全十美的解决办法。

27.《摇滚数学日》

赛斯和他的乐队成员没准备数学项目汇报,却凭借印满平面图形的T恤衫误打误撞地得了个数学日“最佳创意奖”,真走运！虽然独特的小创意会受到特别关照,但这种事在生活中发生的概率太低了。人们常说,机会眷顾有准备的人,遇到问题时要积极面对，踏踏实实地去思考解决的办法，逃避和侥幸心理万万要不得。

28.《山姆的脚印格子》

希尔先生家的草坪比格林太太家的草坪让山姆花费了更长的修剪时间，可是他们俩却支付了山姆一样多的报酬。山姆觉得这真是不公平!怎样才能让自己劳有所得呢?山姆的做法值得孩子们效仿:遇到问题要开动脑筋想办法,如果可能的话，充分验证办法的可行性后再付诸行动,问题自然迎刃而解。

29.《外公的神秘藏宝》

小杰和利奥搬进了外公住过的大房子，他们对新环境还不熟悉，所以一点儿都不喜欢这里。可是他们在阁楼找到了几张藏宝图。一切都改变了！从小杰和利奥最初对新环境的排斥到后来的满心欢喜让我们看到，对于不了解的人和事物，不要轻易下结论，事实可能和你想象的完全不一样呢。

30.《超级眼镜》

莫莉戴眼镜了，弟弟艾迪不停地嘲笑姐姐。莫莉巧妙地化解了自己的尴尬处境，同时也给弟弟上了一课。取笑别人会伤害对方，然而面对嘲讽双方不必争得面红耳赤，尝试一些巧妙的办法既能教训取笑人的人，也能赢得对方的尊重。

31.《晚霞项链》

妮娜偷偷戴姐姐的项链去参加一个盛大的派对，却不小心把项链弄断了，妮娜要凭借记忆，把姐姐的项链修好。还好，妮娜勇敢地承认了错误。生活中我们总会被有些事物吸引，但千万不要忘记，不属于自己的东西不可能不付出任何代价就能拿到，得来容易的东西也会很快失去！

32.《外婆的纽扣宝盒》

凯莉在外婆家玩时，不小心打翻了外婆
纽扣宝盒。她和表姐弟们一起想办法，不断地
试，终于找到了给纽扣分类的正确方法。凯莉
外婆都发现，把东西分门别类地放好，不光看
来整洁美观，还能为生活提供很大便利。

33.《倒霉蛋布拉德》

布拉德一天中经历了许多“倒霉事”，还
最后他如愿以偿地看到了自己喜欢的电影。
布拉德时来运转了吗？其实，布拉德遇到的“倒霉事”都是一些概率问题。有时，运气的好坏是概率大小的不同。不必因运气的好坏而影响心情，耽误自己对事物的客观判断。

34.《马可的零用钱》

在马可要求爸爸给他涨零花钱的过程中
我们看到，他在发现抗议和蛮干无用的情况下
很快就想到另一个出路，运用所学和爸爸平
静气地摆事实、讲道理，最后达到了事半功倍
效果。随着孩子年龄的增长，他们独立解决问
的能力会慢慢增强，如何锻炼孩子以事实为
据、客观地寻找解决办法的能力，马可给你我
了很好的一课。

35.《恼人的水痘》

音乐节的演出对齐普太重要了，以至于他发现自己身上有“水痘”时，怕耽误演出而萌生了不告诉父母的想法。不过最后，他还是说出了这个秘密，原来是虚惊一场。孩子有时会自作主张地隐瞒一些他们看似严重的事情，其实往往不是什么大事。多鼓励孩子向家人、向长辈、向有经验的人敞开心扉，说出内心的困惑，不要独自承受压力，这才有助于他们的健康成长。

36.《我们的校报》

米娅和同学们一起办校报，可她的行为是不是有点儿太霸道了？从米娅与同学们一次次的磨合中，我们能看到：做一件事，永远不要忽略团队的力量。一个人的能量是有限的，只有聚合起团队里每个人的智慧和才华，才能取得最后的成功。与人相处是一门艺术，米娅和艾米都懂得了一个道理，当你看到别人的错误和缺点时，直接否定是不理智的，要学会客观地以道理说服别人。

图书在版编目 (CIP) 数据

数学帮帮忙·互动版·导读手册/范晓星著.--天津:
新蕾出版社,2016.9(2024.12 重印)
ISBN 978-7-5307-6477-0

Ⅰ.①数… Ⅱ.①范… Ⅲ.①数学-儿童读物 Ⅳ.
①01-49

中国版本图书馆 CIP 数据核字(2016)第 219667 号

出版发行:天津出版传媒集团
新蕾出版社
http://www.newbuds.com.cn
地　　址:天津市和平区西康路 35 号(300051)
出 版 人:马玉秀
责任编辑:李琳
整体设计:薛瑾
责任印刷:王其勉
电　　话:总编办 (022)23332422
发行部(022)23332679　23332351
传　　真:(022)23332422
经　　销:全国新华书店
印　　刷:天津新华印务有限公司
开　　本:880mm×1230mm　1/32
印　　张:0.625
版　　次:2016 年 9 月第 1 版　2024 年 12 月第 19 次印刷
定　　价:0.00 元

如发现印、装质量问题,影响阅读,请与本社发行部联系调换。
地址:天津市和平区西康路 35 号
电话:(022)23332351　邮编:300051

绿色印刷产品

定　价:0.00 元